오오
옹
옹
쾅

MOBILE SUIT
GUNDAM
0083
REBELLION
STARDUST MEMORIES

만화 나츠모토 마사토
원작 야다테 하지메 토미노 요시유키
협력 선라이즈
콘셉트어드바이저 이마니시 타카시

CONTENTS

제79화「대결」 001
제80화「격투」 033
제81화「두 사람의 투쟁」 067
제82화「중력권」 101
제83화「콜로니 파열」 133
제84화「콜로니 또다시…」 165

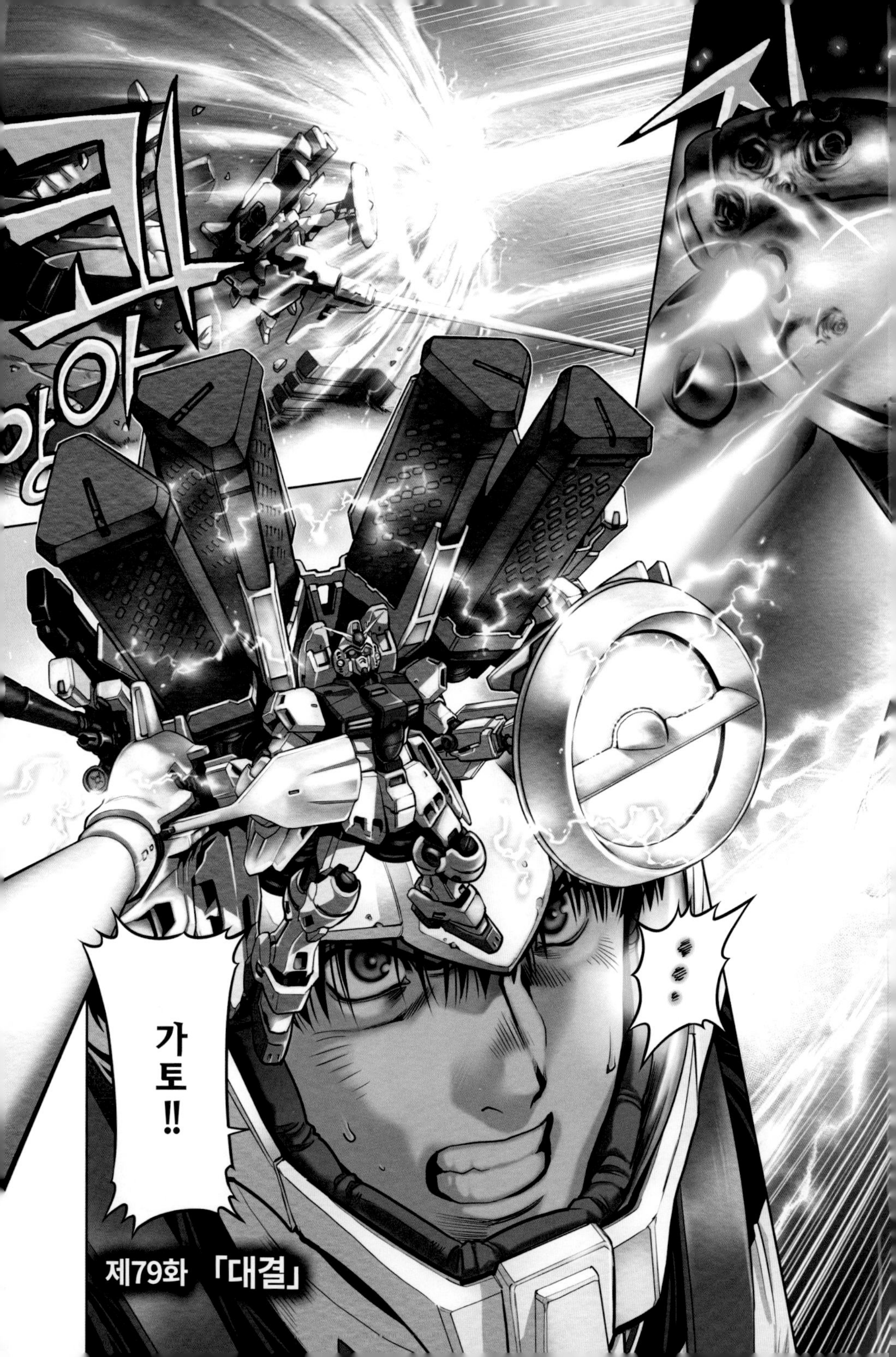
콰
앙아
...!
가토!!
제79화 「대결」

여기서 결판을 내겠다!
혼자서 내 앞에 나타난 기개는 칭찬해주마!!

빠르다!!

이 거리에서
뒤를 잡아도
I필드 때문에
안 되나.
많이 늘었구나…
허나, 소용 없다!!

우라키 자식,
가토하고
전투에
집착하는데.
우리도
가세해야
하는 게…

우라키가
멋대로 하는
짓이니까
그냥
두자고.
어차피
명령 무시에
아군 공격으로
군사 법정
직행이야.
콜로니에서
가토랑 같이
저승에 가도
좋겠지.

키
이
잉

키스!!
무슨
생각
이냐.
상황은
이미 한계다.
알비온과
합류해서
철수하지
않으면
개죽음이다!!

듣고 있나?!
키…
삑
어떻게 코우를 버리겠어요.
그 녀석은 친구라 고요…!!

젠자앙!!

키스!!
슈웅

U.N.T. AIR FORCE
콜로니가
떨어진다.
전원 대피.
자브로를
버린다!!

슈우
우웅
그아말로 거미 새끼처럼 흩어지는군.
우웅

척
코웬 중장님. 출발 준비를 해주십시오.
각하의 신병을 이송하겠습니다.
훗
이제 와서…

델라즈의 별가루 작전에
멋지게… 당한 꼴이군.

어디로 가건 이번 일의 책임이나 질 몸이다.
이대로 자브로와 같이 사라지는 것도 좋겠지.

안 어울리게 약한 발언이군요
코웬 중장님.

각하의 이송은 중지됐다.
예?
사령부에 확인해봐. 상황이 달라졌다.
중지?!
연금 상태라서 정보가 전혀 들어오지 않는다!!
상황이 어떻게 달라진 건가, 앨리스 밀러 소령?
콜로니는 자브로에 떨어지지 않습니다.
제1 궤도함대가 콜로니의 궤도를 바꾸는 데 성공했나?!
아뇨.
델라즈 플리트가 직접 궤도를 수정했답니다.
시간이 생겼는데, 각하도 드시겠습니까?
역시 좋은 것들이 많군요.
달그락
난 됐네!!
그보다 자세한 설명을 해주게.

꼴꼴
꼴꼴
아마도 콜로니의 궤도 수정 자체가
별가루 작전의 계획이라는 뜻이겠죠.
꼴꼴
꼴꼴
말도 안 돼!! 놈들의 목적은 연방에 대한 원한을 푸는 것…
그렇다면 이 자브로 섬멸 이상의 목적이 있겠나.
예, 콜로니는 처음부터 여기로 떨어지는 궤도였죠.
그걸 굳이 수정했다는 건, 다른 목적이 있다는 뜻이겠죠.
그럼… 궤도를 바꾼 콜로니는 어디로 떨어지지.

정보부가 계산한 바로는, 콜로니의 낙하지점은 북미대륙 한복판…
현재 대기권에서 파열, 압축의 화염에 불타면서 지구를 반 바퀴 돌고
약 48분 뒤에 지표에 격돌… 한답니다.

알고 계실
텐데요.
저희는 한 번…
그걸
경험했으니까.
바보 같은
짓을…
엄청난 참극이
벌어질 텐데!
연방 정부는
이미 해당 지역
일대의
대피 활동을
진행 중입니다.

내 건담 개발
계획이
모든 일의
시작… 이군.
그렇게
단락적으로
책임을
느끼는 건
좀 아닌 것
같습니다.
이 사태를
바라고
뒤에서 상황에
개입한 자들이
있다면?
자미토프
하이먼!!
그놈이
야심가이기는
해도…

자미토프
중장
에게는…
이 뒤에 일어날
전쟁을 생각하고
책모를 꾸미는
냄새가 납니다….
날
실추시키려는
목적만으로
콜로니
낙하를
용납했을
리는
없을 텐데!!

…
액시즈와의
전쟁…

잔존 부대
회수 작업을
서둘러!!
손상이
심한
기체는
방치하라.
협정 라인만
넘지 않으면
연방도 손을
못 댄다.
하나라도
많은 동포를
액시즈로
데려가야
한다.

웅
우
우
슈
좋았어,
액시즈
함대에
도착했다!!
이걸로
…
어이쿠,
미안.
재수 없게
유탄에
맞았나
보네.
쿡쿡쿡
콰
엉
벌떡
이
주역에서의
공격 행동은
즉각
중단하길
바란다.
이쪽에도
피해가
발생했다!!
그쪽과
체결한
협정 라인은
넘지 않았다.
항의하려면
정규 외교
루트를
통하도록.
허슬러 소장.
크…

액시즈쪽
식별 신호 따위
무시하고
공격할까.
하긴,
전부 똑같이
생긴
지온 MS
니까.
잘못
봤다고
한 마디만
하면…
!!
어…

잘 했다.
안심해라,
이제
괜찮아.
액시즈가
귀관들을
받아들이
겠다.
가토
소령님….
반드시
귀함하십
시오….

소용
없다!!

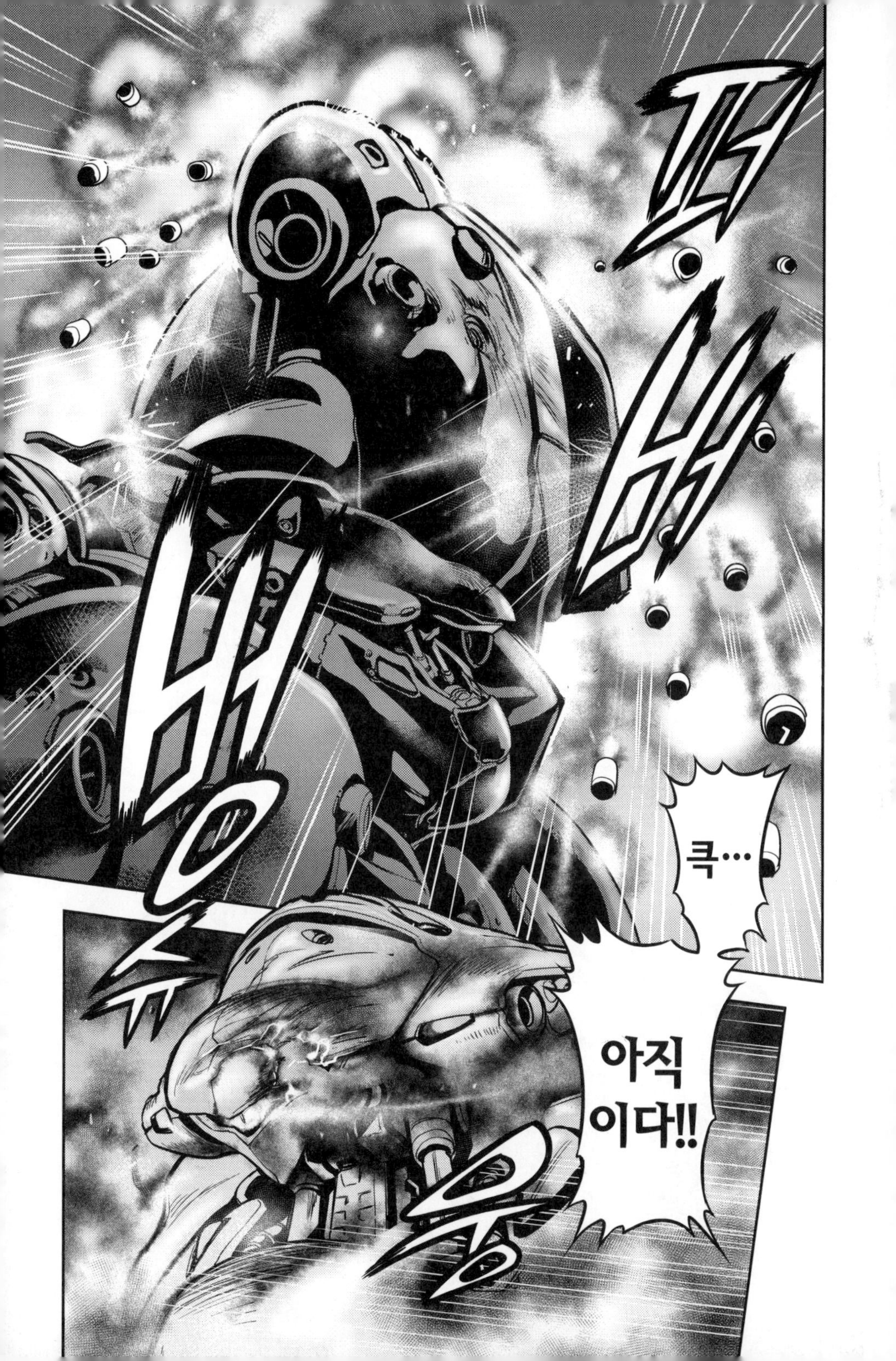
큭…
아직
이다!!

그렇게 마구
조작하면
기체가
못 버터….
안 돼,
코우!!

루세트가
리미터를
풀어버린
탓에…
안 된다
니까,
코우—
틀렸습니다!!
격벽이
모든 통로를
막고 있습니다.
어때,
제어실에
들어갈 수
있나?

으음….
그리고
시설 자체도
가동하는지
어떤지…
녹아버려서
침입하는 데
시간이 걸릴 것
같습니다.
시설 위에
사벨로
뚫은
구멍이
있는데

……
이렇게 되면 직접… 터트리는 수밖에 없나.

함장님!! 시설 안에서 통신을 수신!! 중사의 신호입니다!!
뭐?!

무사했나, 중사!! 상황은 어떤가?!
중사 …?!
그 사람…
중사는 죽었다.

네놈은…
케리
레즈너… 다.
중사는
내 눈앞에서,
연방군
총을 맞고
죽었다…
돕지
못했다…

중사의 헬멧이
없었으면…
나도
산소결핍으로
죽을
상황이었다….

그런가…
중사는 전사… 했나.

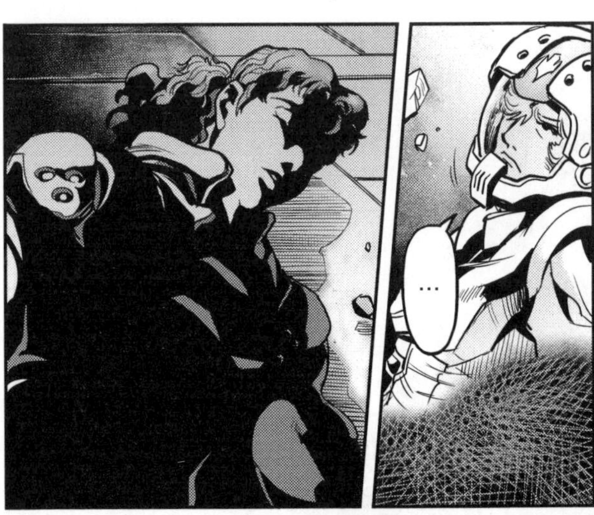
…

레즈너 대위. 당신이 지온을 배신했다는 건 알고 있다.
아까 소령의 대화를 모니터링 했으니까.
그래도 부탁 하겠다.
시설은 아직 가동하고 있나…?

……
그래… 괜찮아 보인다.
그런가!! 그럼…
뭐…?
중사가 하려던 걸 알려줘….

욱…

허억…
허억…
내가…
이어 받겠다….

윽…
…
정신이…
안 돼,
이런 데서…
정신…
차리자.
비틀…

우라케!!
콰
!!
영차
뭐 하는 거야 코우!! 움직여!!
싸워…
코우!!

위이이잉
방해하지 마라…
파지직
쿠우!!

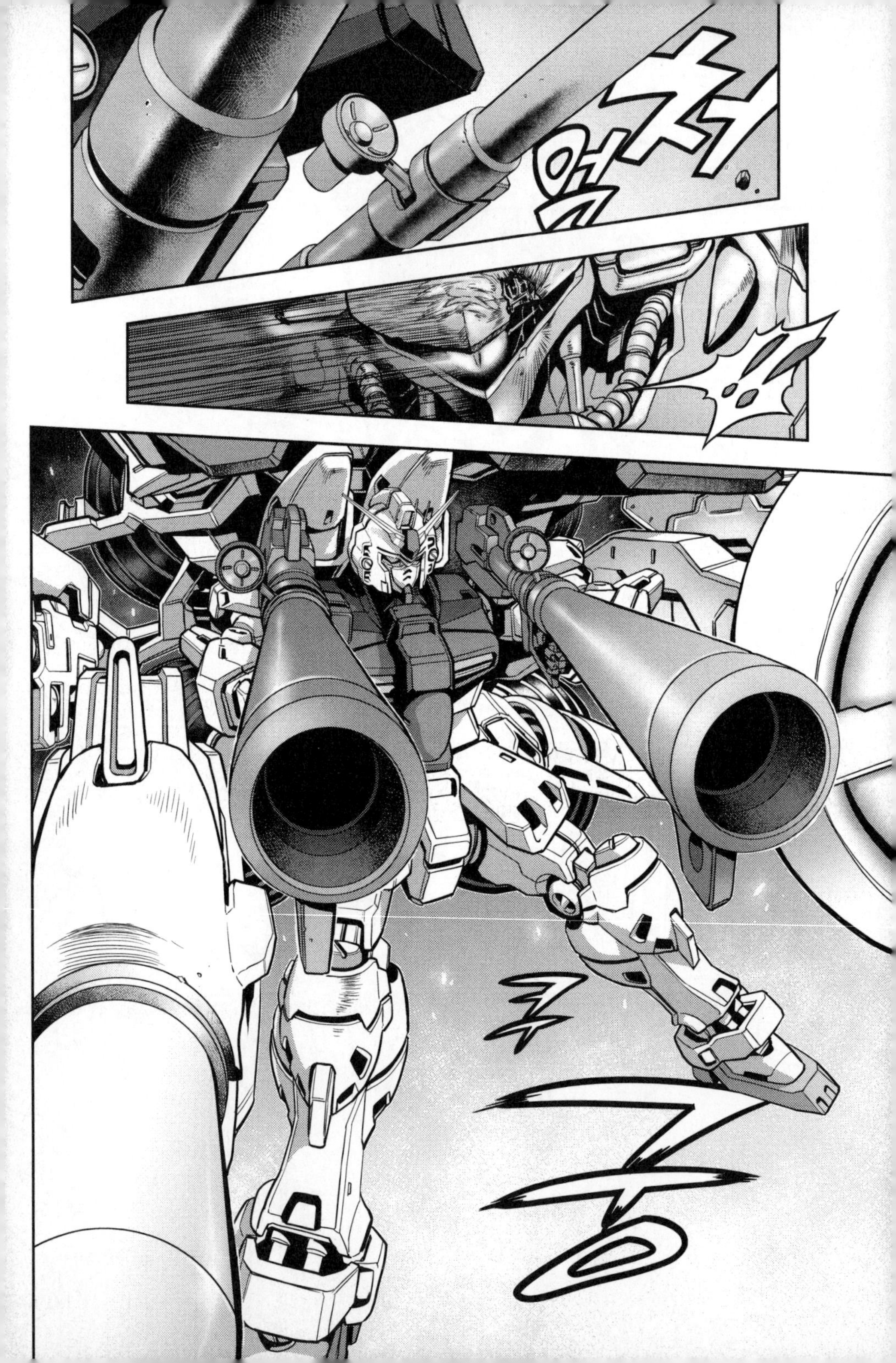

MOBILE SUIT

GUNDAM 0083 REBELLION

STARDUST MEMORIES

MOBILE SUIT
GUNDAM
0083
REBELLION
STARDUST MEMORIES

제80화 「격투」
중계위성 영상만 보면, 알비온은 아직 콜로니 안에 있어…
지금 낙하 속도는 알비온의 대기권 돌입 성능 한계를 넘었어.
세상에…
탈출할 기회를 놓친 거야…
기적이라도 일어나지 않으면 저 함은 살 수 없어.
아직 콜로니 안에서 싸우고 있는 건담도….

크윽
많이 늘었구나, 우라키!!

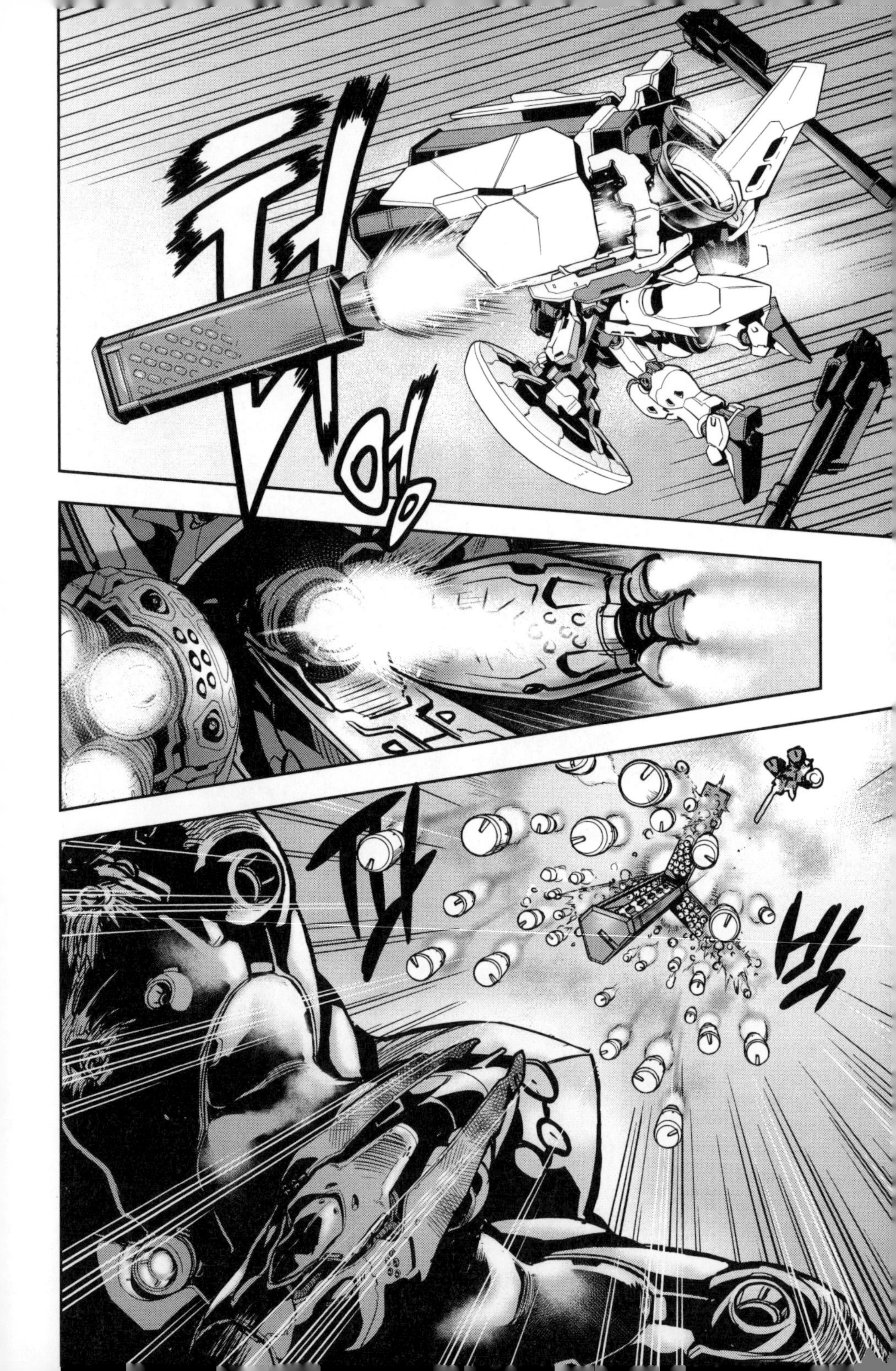
퀴잉
파삭

지이잉

첫
지직
한쪽 I필드 출력이, 약해졌나…
끝이다, 가토!!
UNF.SPACY ALBION
궤도 함대의 움직임은?!
10척 이상의 살라미스가 콜로니와 나란히 이동 중입니다.
으음
끝까지 우리를 이 콜로니 안에 가둬놓을 생각인가!!

철컹..
MS 부대 회수 서둘러!! 콜로니 낙착까지 시간이 없다!!
관측반은 알비온이 이탈 가능한 다른 파손 부위를 찾아라!!
키스 소위!! 빨리 귀함해 주세요
당신까지 우라키 중위와 같이 명령을 무시할 필요는 없잖아요!!
안 돼….

지금까지
같이 싸운
동료잖아!!
어떻게
코우를
버리고
가겠어!!
지직
가,
키스!!
코우?!
지직
알비온으로
돌아가!!
지직
지직
네가
여기 남아봤자
방해만 된다고.
지지직

슈웅
빨리 가버려, 키스!!
그렇게 말할 건 없잖아, 코우…
……
네 멋대로 해…!!

그럼… 난 먼저 가 있을 테니까
너도 빨리 결판 내고 돌아와!!
콰우
…
괜히 신경 써주기는…
그런 건 너한테 안 어울려….

꼭…
돌아와라!!
기다릴 거다.
코우!!
고마워
키스.

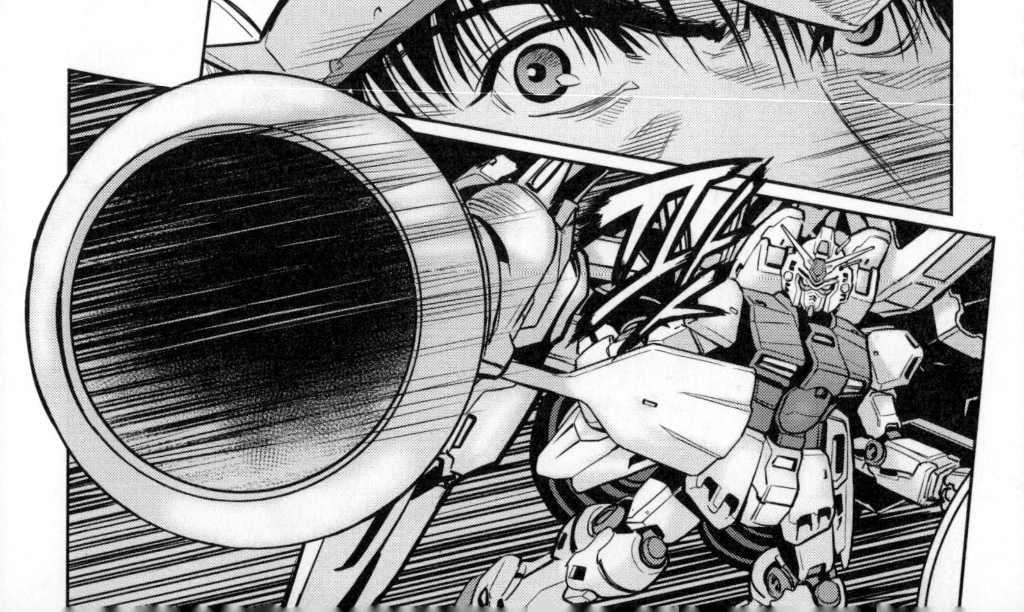

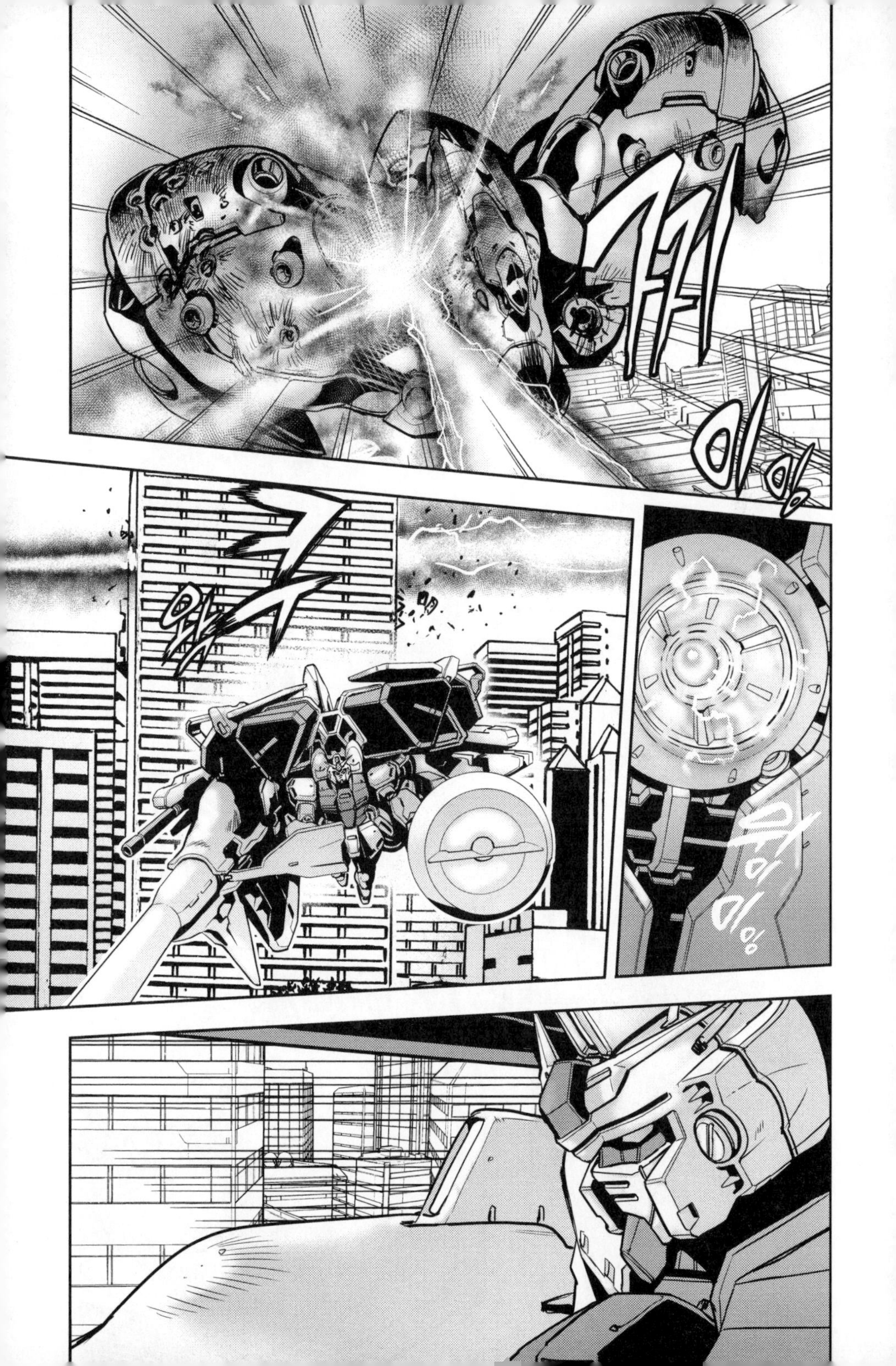
끼이잉
즈왓
위이이잉

으아아아

까앙

…

대위! 어떻게 됐나.
이봐!!
아직 죽으면 안 돼.
대답해!! 케리 레즈너 대위.
움찔

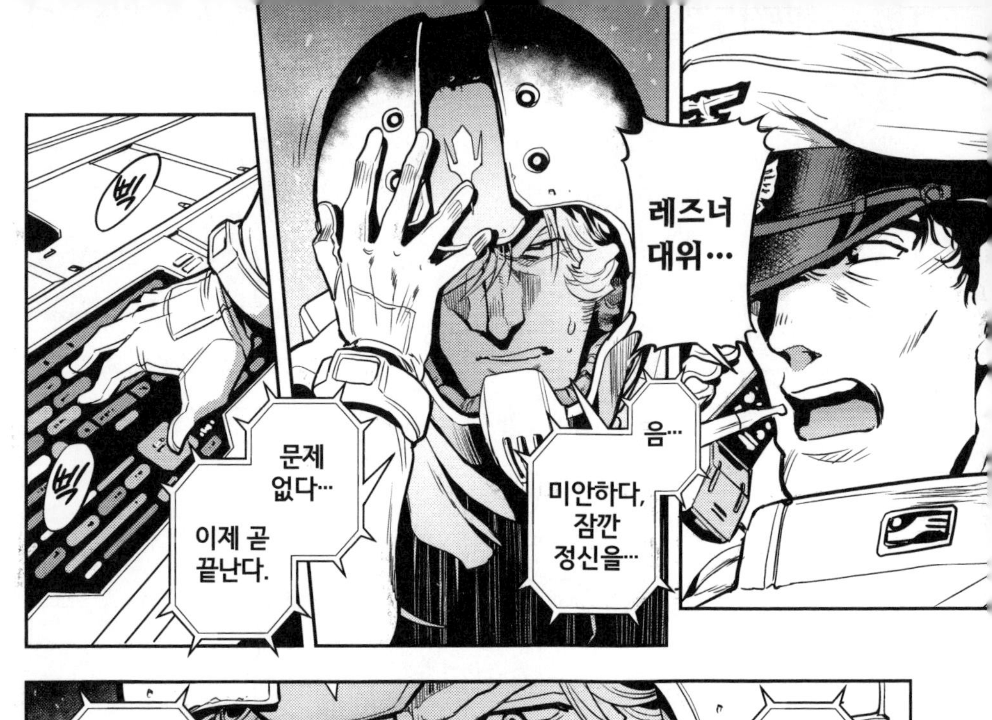
빡
빡
레즈너
대위…
음…
미안하다,
잠깐
정신을…
문제
없다…
이제 곧
끝난다.

말해
두는데…
난,
콜로니
낙하를
인정한 게
아니다.
나도 안다.
하지만…
댁이나 나나
스페이스노이드의
자치독립이라는
지온의 이념은
같을 테니까.
그걸 위한
마지막
장치야.
그래도,
콜로니
낙하는
잘못됐다.

…

하고 싶은 말이라도?

아뇨….
이제 곧 콜로니와 같이 죽을 상황인데
꽤나 여유가 있다 싶어서.
아, 그건 오해야.

전장에서 죽는다…
군인으로서 그런 각오는 항상 하고 있지.
하지만 여기서 죽을 생각은 없어…
그래서 소령이 맡긴 당신을 죽지 않게 노력할 생각이고.

참고삼아 물어보는데…
댁이 응원하는 건 어느 쪽이지?
예?

그 모니터를
보면서
누가 이기길
바라는 걸까.

가토 소령의
노이에 질…
연방의 건담
파일럿….
……

……
이런 상황이 될 때까지 몰랐어.

인간으로서… 잘못됐어.
지금 내 머릿속에는 MS 생각 뿐이었어….

……
뭐…
그러니까
이런
상황에서
할 얘기는
아니었네.

쿠
구
구
……
가토와…
우라키가
싸우고
있나?

그래!!
마지막 사투를
벌이고 있지.
그쪽
모니터로
영상을
보내줄까?

펑
멈펴

……
아니…
그럴 필요는 없다.

끼이이잉

앗
치
치

같은 공격은
통하지 않는다,
우라키!!
펑
첫 번째는
미끼였나….

해치
웠나…?!

앗
아아아앗

콰각
젠장…
I필드의
판단이…
순간적으로
늦었어!!
!!

지잉
지이잉
콰
콰
콰콰
콰
!!
웨폰
시스템의
결점을
가토가
알아
차렸어….

지이잉
지이이잉

파바바
네놈의 기체는 I필드를 치고 있는 동안에는 기동성을 유지하지 못하나 보군.
이러면, 움직이지 못하겠지.

이잉
쵸
저 기체의
결점이라니,
무슨 소리야.
……
이온 드라이브
추진은
고전압 출력으로
추진력을
얻어요.
I필드도
마찬가지로
고출력이
필요하고.
하지만 건담의
기본 출력
2천kW로는
양쪽을 동시에
풀로 가동할 수
없어.

코우는
그걸 가토한테
들키기 전에
결판을 낼
생각이었어.
하지만 I필드로
빔 연속 공격을
막고 있는 한은
날개를
잃은 것과
마찬가지.
끄긱
아직…
이다…
건담의 기본
출력만으로도
충분히
싸울 수
있어…

끝이다.

콰
제81화 「두 사람의 투쟁」

아아아!!!

어엉
그래,
그래야지
우라키!!

가토ー!!…
지잉
슈왓

큭…

우라키…
더는 네놈을
얕보지
않겠다.
대등한
적으로서
네놈을
쓰러트리고
결판을
내겠다!!
…
웃기지
마…
난…
질 수
없다고!!
2호기를
빼앗기고,
핵탄두를
터트리고,
콜로니까지
우리는
네 작전을
하나도
저지하지
못했어.
하지만…
그러니까
이 싸움의
원흉인
네놈만은….

아나벨 가토!!
네놈만은 내가 쓰러트려야 해!!

여기는 라싸 기지!!
낙하하는 콜로니를 확인했다!!
자브로 사령부, 대응 지시를 바란다…
정말 콜로니가 떨어지지 않는 건가. 대답하라 사령부!!
야, 저거다!!
아주 제대로 보이잖아.
……

쿠
구
말도
안 돼?!
어째서
이런 게…
우주에서
뭔 일이
난 거야…?!
구
구

그래,
코우!!
필드와
고기동 추진과
빔 사벨의
출력 부족을
메우려면
건담의
통상 추진을
효율적으로
활용해야 해.
……

레즈너
대위,
시간이
없다.
그쪽
작업은
어떻게
됐나?
이걸로…
될 거다…
카운트가
시작됐나.
그래…
시스템과
연동…
했다.

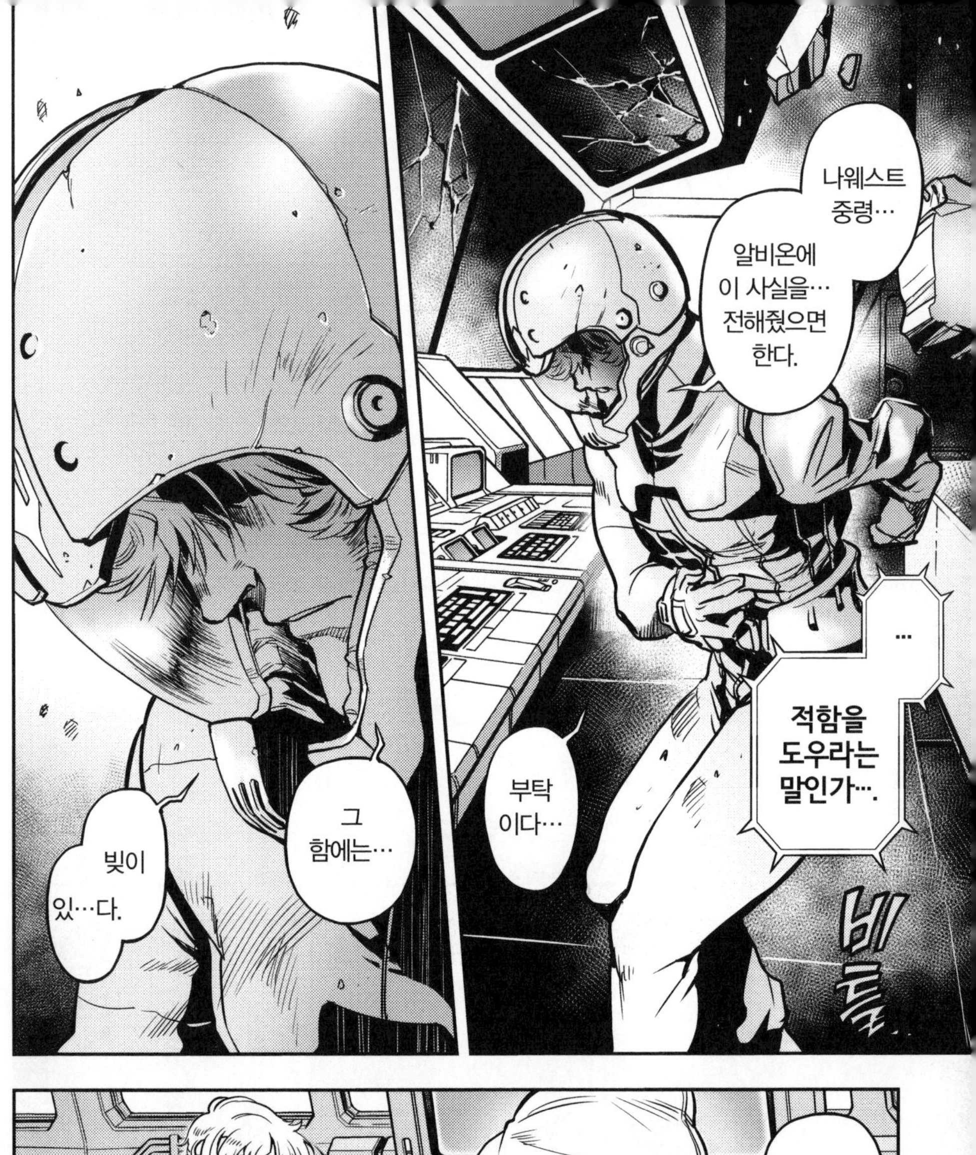
나웨스트 중령…
알비온에 이 사실을… 전해줬으면 한다.
…
적함을 도우라는 말인가….
부탁이다…
비틀
그 함에는…
빛이 있…다.

빛이라니, 뭔가?
…
이봐, 대위!! 괜찮아? 레즈너 대위…!!

휙
!!
케리 씨, 대답 하세요!!
케리 씨…?!
이런 데서 죽으면 안 돼요, 정신 차려요!!
당신은 라트라한테 돌아갈 의무가 있어요!!
케리 레즈너…!
…
라… 트라….

홱
아!!
시간이 없다…
전원에게 전달!!
이 함을 버리고
철수한다!!
우현 격납고로
가라!!
……
케리 씨를
버리고
갈 건가요?

그건
안 돼요!!
누가
이 손님도 같이
격납고로
데려가!!

지지
지지

끼
긱

컨트롤
룸에 도착
했습니다…!!
대위를
회수해서
귀함하겠
습니다!!

가토 소령이
대위를
부탁했다.
이제
만족했나?
그럼 빨리
가라고.
아…
전원 대피,
서둘러!!
고마워요
함장님!!

잠깐…
통신수!!
예?
연방 함에 데이터 통신이 가능한가?
……

함장님!! 건의 합니다.
지금 당장 콜로니의 구멍 밖으로 이탈해야 합니다.
……
…
하지만 지금 낙하 속도로는 알비온의 피해가 막대합니다.
콜로니랑 같이 터지는 것보다는 낫잖아?

……
어느 정도 피해는 감수해야겠지…
지금부터 알비온은 위쪽 파손 개소를 통해 콜로니를 이탈한다!!

미노프스키 크래프트 전개, 감속 충격에 대비하라.
시냅스 함장님!!
콜로니 내부에서 본함을 향해 데이터 통신을 확인…

이 주파수는 지온 쪽에서 왔습니다!!
지온 이라고….
내용은?!

콜로니에서 이탈할 방법을 지시한 데이터 같습니다.

슥
추신입니다!!
「수신자…
알비온」
「귀함의 무사
이탈을 바란다,
케리 레즈너」
케리
레즈너…
그 지온
대위
인가….

서로가 I필드를 전개하고 있으면 끝이 없어.
하지만 0거리까지 접근하면 사벨을 박아넣을 수 있겠지.

방
바
퍼
놈의
품 안으로
파고
들려면…
이 방법
뿐이야!!

I필드를 방패로
정면에서 거리를
좁히겠다…
소용없다!!
격추한다….

필드를 껐다는 건가…?!
내 공격을 유도 하려고…!!

삐이이!
꽈앙
펑

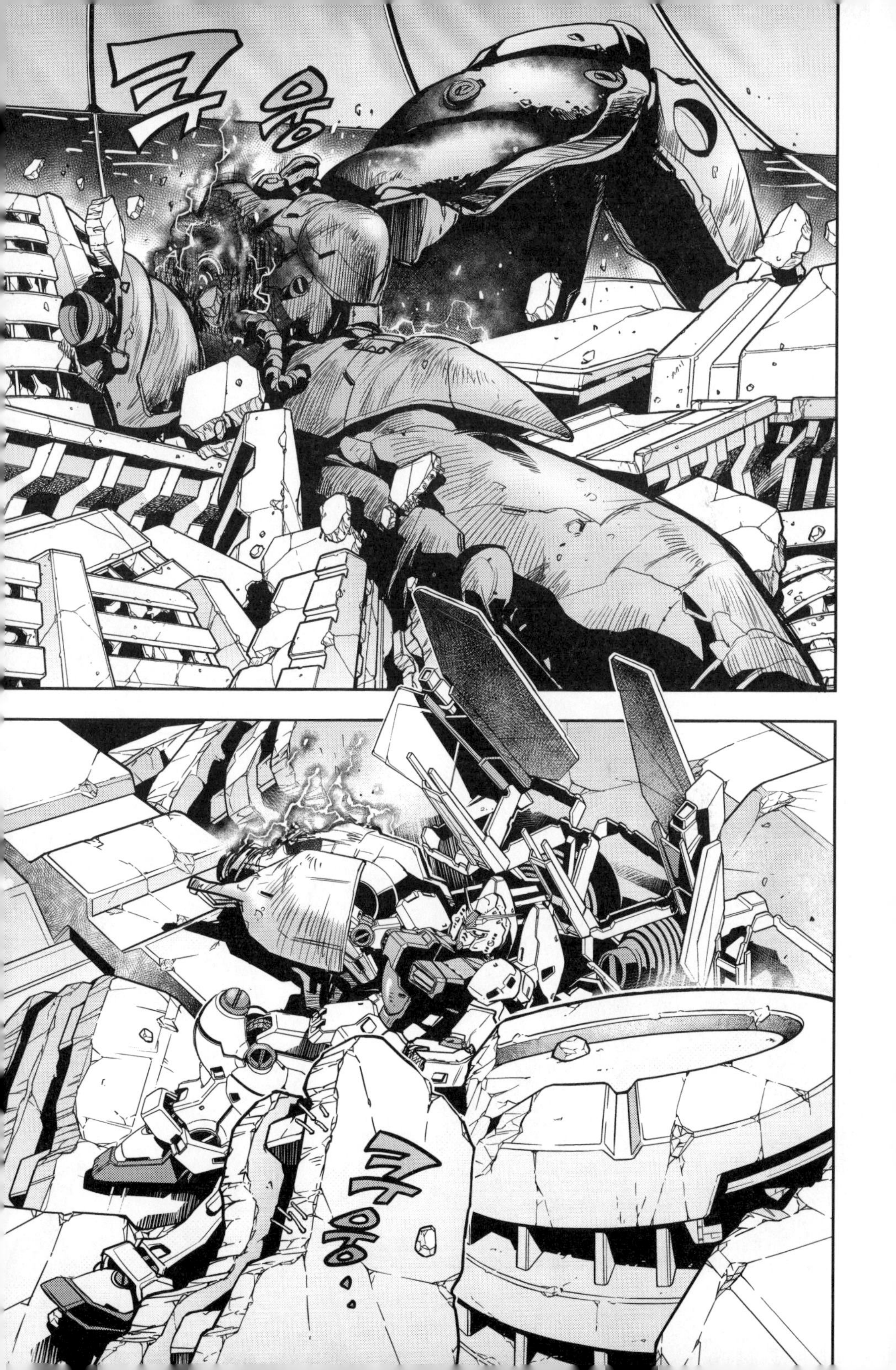
쿠웅
쿠웅..

끼익
동체를 양단해서 해치우려고 했는데…
기체를 틀어서 피한 건가…
순간적으로….
끼
설마, 우라키한테 이렇게 깊은 상처를 입을 줄이야.
아직도 우습게 보고 있었던 건가.

!!

전원 대피다, 서둘러!!
이탈할 기회를 놓치겠다!!
......

삐걱
몸이 조금씩 무거워지고 있어.
삐걱
삐걱
중력의 우물에 붙잡힌 거야.

하지만, 이걸로 두 사람의 싸움에 결판이 나겠지.

MOBILE SUIT
GUNDAM
0083
REBELLION
STARDUST MEMORIES

MOBILE SUIT

GUNDAM 0083 REBELLION

STARDUST MEMORIES

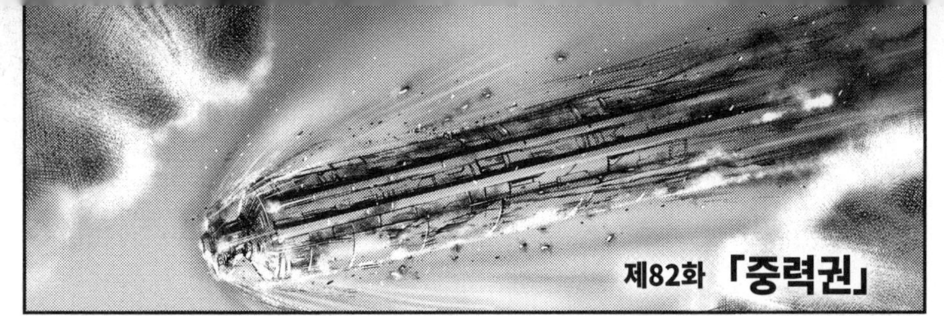
제82화 「중력권」

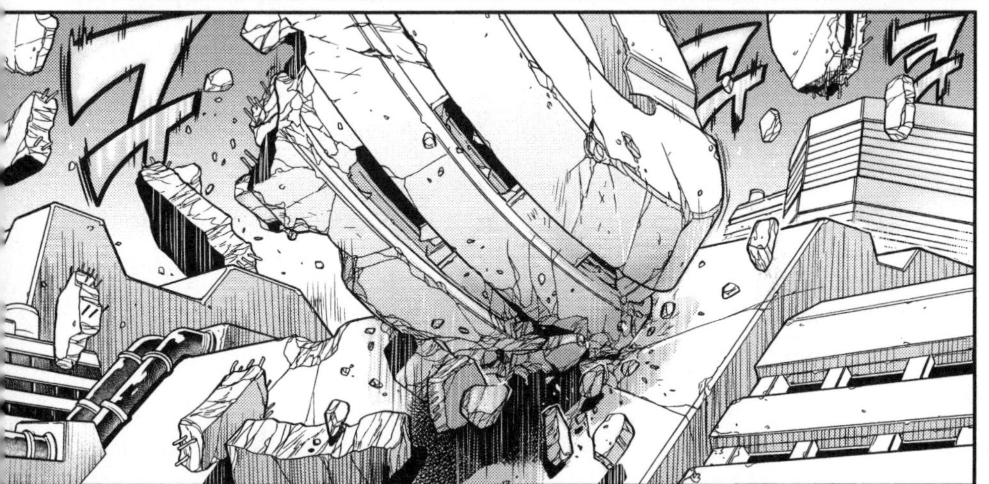

크…
몸이 조금씩 무거워진다…
지구의 중력에 붙잡힌 거야.
조금만 더….

조금만
더 하면,
가토하고
결판을
낼 수 있어.
움직여 줘,
건담!!

중력…
이 중력이라는 나태의 요람에서 벗어나지 않는 한 연방은 변하지 않는다.

놈들의 선민사상이 스페이스노이드의 자치독립을 두려워하고
우리의 존재를 계속 거부하는 한 싸움은 끝나지 않는다.

구구구
콰아
설령 내 투쟁이 여기서 끝난다 해도
우리가 보인 대의는, 뒤따르는 이의 이정표가 되기 때문이다.

빙잉
네놈은
알겠는가?!
우라키!!
퍼엉
그락

대의가 있다고 해도, 콜로니를 떨어트리는 건
해선 안 되는 짓이다!!
나도 케리 씨도 알고 있어.
그래서 여기 있고!!

알비온은
중력 변수에
맞춰서
미노프스키
크래프트를
전개.
현재
좌표 유지.

그런데,
적이 준 정보를
얌전히 믿어도
될까요?
어차피
함의 피해는
막을 수
없다….

우리는
케리
레즈너를
믿고 건담에
태웠다.
걸어볼
가치는
있다고
판단했다.

다닥
전원에게
고한다…!!
당직 인원 외에는
중앙 구역으로
대피!!
안전띠를 장착하고
충격에 대비하라!!
탁

본함은
지금부터
콜로니에서
강제 이탈을
시도한다.
전원!!
충격에
대비하라.
대피하기
전에
중력 대책을
잊지 말고
와이어로
고정해.
서둘러!!
예!!

모라!!
코우의 건담은
아직 귀함
안 했어?!
설마
아직도
가토랑
싸우는
거야?!
응…
아직
안 돌아왔어.

…
역시
구원하러
갈래…!!
안 돼,
출격 허가가
나올 리 없어.

동료를 구하러 가지도 못하다니
난 정말 한심해….

꼬옥…
우라키는 꼭 돌아올 거야!!
니나도 그렇고!!
우리가 할 수 있는 건
왔을 때 웃으며 맞이해주는 거야….

키스…

모라…
그 둘은 꼭 돌아올 거야….

잠깐만요 베이트 중위님!!
MS에서 내리면 안 됩니다.

파일럿은 콕피트에서 대기해야 합니다.
화장실 좀 가려고!! 금방 올게.
위이이잉
그건 콕피트 안에서 해결하세요.
다닥
맘대로 좀 하자. 어디 있건 콜로니가 떨어지면 끝장이니까.
톡
몬시아 중위님도 똑같은 소리를 하더니 안 왔어요.

……
긁적
그럼 우리가 데려올게. 어차피 갈 데는 같을 테니까.
그렇겠죠.

SOUTH BURNING
버닝 대위님….
죽는 게 어딨습니까, 대위님.
우리는 불사신 제4소대 아니었습니까?
전 대위님이 있어서
보충요원으로 알비온에 왔습니다.
뭐… 지금은 저희도 콜로니라는 거대한 관짝 속에서
죽을 때만 기다리는 상황이지만요. 웃기죠.
역시 이건 대위님 가르침을 무시한 벌이 아닐까요.

대위님 원수를
갚았습니다.
대위님을 죽인
케리 레즈너를
죽였어요!!
아마 대위님은
그런 걸 바라지
않았겠지만.

역시
여기 있었냐,
몬시아.

대위님한테는
작별 인사를
하고 싶어서.
그리고
대위님 가르침을
무시한 것도
사과하고…
대위님
가르침?
그거 말입니까?
「전장에 증오를
끌어들이지
마라」
제2 연합
함대에 있을 때,
대위님이
자주 말하셨죠.

맞아… 솔로몬 회랑 진공 작전 때였지.
모함이 격침당한 나는…
화가 나서 전력 차이도 생각하지 않고 돌격하려다가 대위님한테 혼났지.
냉정해져라 몬시아!!
전장에 증오를 끌어들이면 그놈부터 죽는다.
먼저 살아남아라. 그게… 내 소대다!!
그 다음 부터였지.
우리 소대가 불사신 제4소대라고… 불린 게.
예….
대위님 가르침을 지켜와서 우리가 여기에 있는 거야!!

그런데
말이야!!
참을 수가
없었어.
대위님을
죽인
케리 레즈너를
용서할 수
없었어!!
그리고
그 놈이랑
동료처럼
같이 싸우던
우라키도
도저히
용서할 수
없고!!
…

다악
아!!
여기
계셨나요!!
빨리 MS로
돌아가
주세요.
금방
간다고
했잖아.
서두른다고
상황이
좋아지는
것도
아니잖아!!
아뇨,
그게…
지온 쪽에서
이탈에 관한
유익한
정보를
제공
했답니다.

지온… 에서?
무슨 소리야?!
전에 포로로 잡았던 레즈너라는 지온 병사한테서
조금 전에 통신이 들어 왔다고….
레즈너 …?
그 새끼가… 살아있어?!
웃기지 말라고…
대위님 원수도 못 갚은 데다…
그놈이 우리를 도와준다는 거야?
말도 안 돼… 난 이해 못해!!
뭐가 어떻게 된 건지, 가르쳐 주십쇼…!!

크윽
이게…
대위님이 말한,
살아남는다는
겁니까.
버닝
대위님….

차앙 차앙
차앙
레즈너
대위를 이송.
아직 살아
있습니다.
들것
이리로!!
치료
하겠습
니다.

척
함장님!! 중사도 데려 왔습니다.

솔로몬의 MA 파일럿… 소문대로 터프하군.

찌이익
그래…
잘 했다….

케리 씨!!
출혈 과다에 의한 쇼크 증상 뿐이에요.
응급조치가 적절했어요. 목숨엔 지장 없으니까 안심하세요.

…
……
라트라….

좋았어!! 이제 다 탔지.
언제든 이탈할 수 있게 준비해둬.
간신히 늦지 않았네.
나웨스트 함장님. 부탁이 있어요.
노이에 질과 건담의 싸움을 모니터로 확인해도 될까요?

아쉽게도
지금부터는
모니터 조작이
안 돼.
포기
하시게!!
그럼
통신하게
해주세요.
그 둘이라면,
오픈 회선으로
연결될
테니까요.

......
끼유

펑
가콰
가

콰지직
역시 저 MA는 장갑이 두꺼워!!
이 거리에서 라이플인데도 흠집만 나는 정도인가…
그리고 중력권에서는 웨폰 시스템의 메인 부스터로도 출력이 부족해!!

그렇다면
몸을 가볍게 하고,
가까이 파고들어서
근접 공격으로
해치운다!!

펑
펑
펑
건담 3호기 『스테이멘』은 무중력 사양으로 설계됐어.
밸런서를 조정하지 않으면 제대로 움직이지 않아!! 1호기에서 경험했어.
가토의 MA도 조건이 같지만, 기체 중량이 있는 만큼 저쪽이 불리…
슈앗
아니… 치명적이라고 할 수 있어.

끝이다,
가토!!
억
코우!!
가토!!

이미 두 사람은 결판이 났겠지.
건담도 노이에 질도 중력하에서 가동할 수 있는 기체가 아냐.
니나…?!
혹시 상대를 죽이지 않으면 승리를 확신하지도 못하는 거야?
그런 헛된 죽음이 왜 필요한 걸까.
헛된 것이 아니다.

크
웅
콜로니는 분명히 지구로 떨어져. 그리고… 많은 사람이 죽어.
그 목숨도 헛된 게 아니라고 할 수 있어? 가토.
별가루 작전에 최종 국면이 있는 건 알고 있어.
조금이라도 피해를 줄이기 위한 거라고, 케리 씨가 도와줘서 실행할 수 있었지.
그 사람 마음을 조금이나마 이해하는 거야?
가토!!
케리 씨가… 살아 있어?!
니나!!
그래. 지금 치료받고 있어.
목숨엔 지장이 없대.

케리 씨가
살아 있어…

N.T. SPACY
ALBION
레즈너의
정보가 맞다면
시간이 거의
다 됐습니다.
이탈
준비를
확실히
해라.
회피
행동은
조타수의
판단에
맡기겠다!!
예!!

색적 때 콜로니 안에서 본 대량의 폭탄은
이 타이밍을 위해 준비한 건가.
EYPHAR SINAPUS

지장 델라즈….
이걸로 놈의 최종 목적이 드러난다.

시간이 됐다…

둘의 싸움을 보고 확실히 알았어.
내가 해야 할 일이 뭔지를.

그러니 당신들도 살기 위해 싸워줘.
나도 나 자신의 싸움을 할게.

퍼벙!
쾅
제83화 「콜로니 파열」
콜로니에 폭약을 설치해 뒀나…
하지만, 이제 와서 콜로니를 파괴하는 목적이 뭐지?!

가토!!
별가루 작전의 목적은 연방군 괴멸일 텐데!!
그런데 왜 자브로를 노리지 않지?!

자브로를 쳐봤자
연방이라는 조직을
일소할 수 없다.
말했을 텐데.
우리의 싸움은
스페이스노이드의
대의를 이루기
위한 것.
그러기 위한
콜로니
낙하다!!

빠지이잉
언젠가!!
네놈도 이해할
것이다….
그건 너희
사정이고!!
어떤 이유건
콜로니
낙하는
그냥
살육이다!!
흥…
네놈이야말로
승자 입장에서
말하고 있다.

연방이라는 조직의 일개 병졸로 있는 한, 대국은 보이지 않는다!!
생각을 멈추지 마라, 우라키!!

대국 따위, 파일럿한테는 상관없어!!
눈앞의 적을 쓰러트릴 뿐이야!!

……

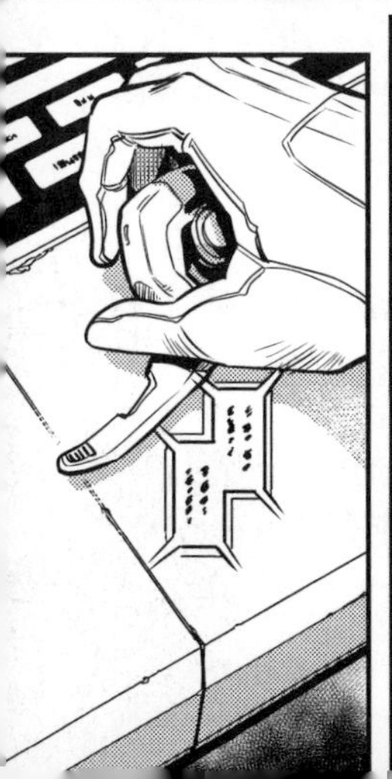

…
만약 두 사람의 입장이 달랐다면, 이해할 수 있는 관계가 됐을지도 몰라.
저 둘은 그만큼 닮았어.
가토 …. 코우…

전원 헬멧 착용!!
UNF·SPACY ALBION
위이이잉
안정익 수납…
콜로니 파편을 전부 회피하라. 철저히 주의하고!!

1시 방향
파편…
옵니다!!
회피 조타는
맡기겠다!!
파사로프
대위.
알겠습
니다…!!

레즈너의 정보가 없었다면 폭발에 휘말려버렸다…
하지만, 이 상황을 헤쳐나가지 않으면 의미가 없지.
함을 살린다…!!
떨 떨
으아아아, 죽는다!! 다 죽어!
조용히 해.
당황할 필요 없어.

알비온은
이 정도로
가라앉을
배가 아냐!!
함장님을
믿어!!
우리는
안 죽어.
살아남는다!!

정면,
파편 다수!!
모…
못 피합
니다!!
……
크…

피유웅
!
포술장….
멍하니 있지 마. 파편을 전부 날려버려!!
예!!

…
…
이 부대에 배속된 뒤로 좋은 일이 없다니깨!!
쳇
건담 따위랑 엮인 탓이야… 못 해먹겠네 진짜.
젠장!!
코우…
이상하다. 내가 죽을지도 모르는데
왜 네 생각만 나는 걸까.

겨우
몇 달인데,
온갖 일이
있었지.
여기까지
오는 동안…
정말
너랑 있으면
따분할 틈이
없었어.
코우!!

상황은?
콜로니는 예정대로 파열을 시작 했습니다.
설치한 폭탄의 정상 기폭은 70%!! 아슬아슬 하네요.
일이 예정대로만 되면 그만이야.

우드갈드에서 이탈은 상황을 좀 더 보고 한다.
이 코무사이로 파편 속으로 뛰어드는 건 위험부담이 크니까.
나웨스트 함장님…
잘도 이 많은 폭약을 준비했네요.
겨우 지온 잔당이, 라는 건가?
그래. 우리 같은 두더지는 못 할 일이지.

두더지?
그라나다 기지 주변에 있는, 연방이 모르는 지하 시설에 숨은
일년전쟁 패잔병들을 그렇게 불러.

전쟁 종결부터 3년….
우리한테 델라즈 각하의 봉기는 그야말로 복음이었지.
암반 파쇄용 특수 폭약을 파푸아 수송함 5척 분량…
각하는 이걸로 연방 거점이라도 습격하려는 건가, 시마 중령?
별가루 작전의 마무리에 쓴다.
이걸로 콜로니를 박살 낸다더군.

가토가 솔로몬을 습격하고
우리 함대가 이송 중인 무인 콜로니를 강탈.
그리고 달 부근에서 너희 후속 잔존 함대와 합류해서
이 폭약의 설치 관리를 부탁하려고.
콜로니 낙하…
각하가 입안하신 별가루 작전이, 일년전쟁 악몽의 재현이라니.
댁의 기분은 이해해.
원래는 우리 해병도 콜로니 낙하 따위는 사절이야.
하지만 망국의 패잔병이 아무리 궐기해봤자
연방에 승리하는 건 말도 안 돼.

그래서 일년전쟁에서 얻은 콜로니 낙하의 경험을 살리는 거야.
공포라는 임팩트와
핀 포인트 질량 공격.
에규 델라즈는
그걸 전부 계산하고 별가루 작전을 발동했다.
......

...
과연 일이 계획대로 돌아갈까요.
군인은 임무를 수행할 뿐. 결과는 생각할 필요 없어.

그리고 임무는 완수했다.
콜로니가 터져서 파열하기 시작한 건 확실한 정보인가.
위성 관측 데이터를 코웬 중장님 사무실로 보내.
신경 꺼!! 내가 허가한다.
콜로니가 파열 했다고?!
……

……
앨리스 밀러 소령. 상황을 설명하게. 콜로니는 어떻게 됐나.
지상에 대한 피해 규모는 어느 정도지.

밀러 소령!!
잠시만….
!!
그런 건가….

델라즈의
진짜 목적을
알았어.
별가루
작전의
최종 목적이…

이봐!!
확실하게
설명해봐!!
콜로니는
어떻게
됐나?
콜로니는 현재
내부 폭발에 의해
6개의 덩어리로
파열.
선단부를
제외한 질량이
작은 덩어리는
대기층에
튕겨 나서
진입 각도가
변했습니다.

낙하지점 예측은,
비교적 피해가
적은 장소에
떨어지도록
일부러
파열시켰다.
그렇게…
생각하는 게
타당하겠죠.
헉
뭐라고…?

그럼 델라즈는 의도적으로
이쪽의 피해가 적어지도록 계획했다는 건가?!
그렇게 어설픈 이야기가 아닙니다.
아니… 오히려 악마 같은 책략이라고 해야겠죠.
…? 모르겠군.
아무리 피해가 적어도 그 질량이면 대참사가 벌어진다.
하지만, 일년전쟁 때 콜로니 낙하와 비교하면….
목적의 근간은 콜로니 선단부 낙하지점입니다.
거기엔 아무 것도…
연방군 거점 조차….
아….

예… 광대한 곡창지대가 있죠.
일년전쟁의 교훈을 바탕으로, 콜로니에 대한 식량 의존을 줄이려고 만든 자동 생산 플랜트가.
현재 여기서는 지구에서 소비되는 모든 식료의 약 30%가 생산 가능합니다.
하지만, 이걸로 우리는 거의 모든 식량 공급을 콜로니에 의존할 수밖에 없습니다.
피해를 줄인 건 이런 이유 때문입니다.
!!
지상 인구가 줄면, 효과가 희박하다는 얘긴가.

예…
저희는 지금, 지상 모든 인류의 기아라는 인질을 잡힌 꼴입니다.
델라즈는 한 번의 승리를 버리고, 장기적인 우위를 따낸 거죠.
정말 지장이군요….
…
JOHN KOWEN

부웅
가토와의 싸움에…
끝이 다가왔다.

서로가 소모하기만 하는 이 전투에서도
확실하게 결말이 다가오고 있어.

콰앙
그건
가토도
알고
있다.
삐이잉

콰드드

쿠아아아

지금,
이
싸움에
결판이
난다.

지지지
지지
!!
뭐 하나 우라키. 너무 얕았다.
그래서는 끝나지 않는다….

네놈도
무인이라면
기개를
보여라.
이 가토의
최후를
지켜보는,
무인으로서의
기개를!!
...

콰
과
과
제84화 「콜로니 또다시…」
뭘 망설이지?
우라키.
난 이겼어.
가토한테….

그…
솔로몬의
악몽한테,
이겼다고!!

이대로
콕피트를
꿰뚫으면 돼.
콰앙
그걸로
지금까지의
모든 일에
결판이 난다.

그런데…
왜 이렇게
초조한
거지?!
가트!

액시즈 함대에 고한다. 너희의 현 구역 체재 기간이 지났다. 즉각 퇴거하라.
델라즈 함대의 잔존부대는 이미 구축했다.
더 이상 귀관들이 여기 있을 이유는 없다.
……
아니면, 지금 여기서 우리와 싸울 각오가 있다는 건가.
알았다… 우리는 지금부터 현 구역에서 퇴거한다.

흥
액시즈라고 해봤자 지온 잔당일 뿐.
언젠가 연방군이 섬멸할 적이라는 것을 명심해라!!
빡
…

현 시간부로 잔존 부대 회수를 종료한다.
허슬러 소장님!! 기다려 주십시오, 소령이…
가토 소령이 아직 안 왔습니다.

탁
조금만 더 이 구역에 있을 수는 없습니까.
카리우스 중사….
아쉽지만 여기까지다.
……

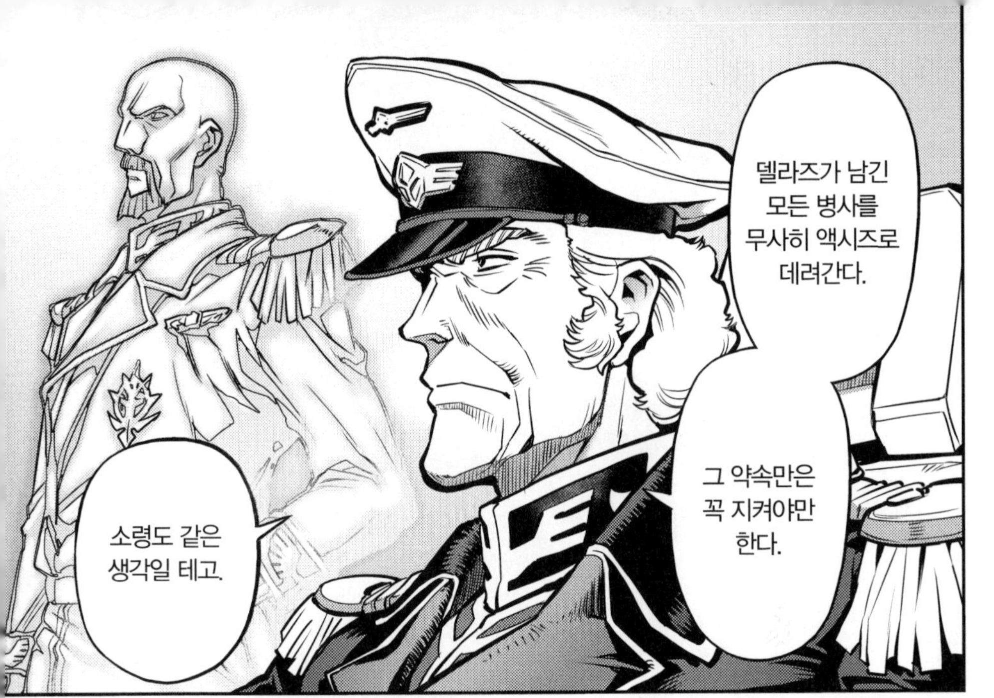
델라즈가 남긴
모든 병사를
무사히 액시즈로
데려간다.
그 약속만은
꼭 지켜야만
한다.
소령도 같은
생각일 테고.

그렇기에
가토 소령은
굳이
콜로니에
남은 게
아닐까.
어째서죠?
모르겠
습니다.

……
노이에 질의
존재
때문이다.

설령 소령이
연방 함대를
돌파해서
이 중립 구역으로
귀환한다 해도

그 MA의 위협을
직접 본 연방이
우리를 얌전히
퇴거하게
둘 리가 없다.
어떻게든
구실을
만들어서
공격해
왔겠지.
그리고…
그것이
연방이 바라는,
액시즈와 개전하는
구실이 된다.

가토 소령은
액시즈로부터
노이에 질을
받았을 때부터
이미
각오했을
것이다.
이럴
수가
…
소령님은
우리를
살리기 위해
콜로니에 남은
겁니까….
탄식할
필요 없다!!
가슴을 펴고
지켜봐라.
귀관들은
승리했다.

델라즈여.
별가루는
성공했다!!
잘도…
지금까지
싸웠다!!

콰
가
가
함장님!!
후방 진로
클리어.
나갈 수
있습니다.
그래!!
IVAN

미노프스키 크래프트 출력 최대…
대기권에 돌입 가능한 선체 속도까지 단숨에 감속한다.
UNF·SPACY ALBION
관측반은 콜로니 잔해 경계를 철저히 하라.
콜로니에서 이탈한다!!

크윽!!

당
콰과
좌현
손괴….
그 밖에 각 부분
파손 다수!!
파악도
못 하겠습니다!!
콰
가가
엉망진창
이다!!
버텨라,
알비온!!

적함…
콜로니에서
이탈하기
시작한 것
같습니다.
우리도
이탈한다!!
콜로니
파편에
주의하고!!
코무사이의
얇은 장갑에는,
파편 하나가
치명상이야.
위
이
잉

출발!!
!!
…
덜 덜
덜 덜

코우?!
아직 알비온과 합류하지 않았어?
승부는 났을 텐데….
!!
퍽 퍽
억
기체에서 내려!!
가토!!
퍽
콰직
홱
왁

그만 둬!! 뭐 하는 거냐 우라키!!
최후를 지켜보라는 게 뭔데?! 간단히 패배를 인정하지 말라고!!
별가루 작전이 완수되면, 승패 따윈 상관없다는 건가.
날 뭘로 보는 거냐, 가토!!

졌으니 원통해 하라고?
헛소리 마라. 역시 아무것도 못 보는 일개 병졸이군.
네놈과 케리는 매사를 파일럿의 시점에서만 이해하고 있다.
그래서 대국을 잘못 보는 것이다!!
네가 케리 씨에 대해 뭘 안다는 거야…
케리 씨는….
네가 잘못을 저지르기 전에 그걸 알려주려고 했어!!

동료를
배신하면서까지
너한테
알려주려고 했던
케리 씨의
마음을
왜 이해하려고
하지 않는 거지,
가토.

!!
어쩔
셈이냐
우라키!!
널 영웅으로
죽게 두지
않겠어!!
난 군인이다.
널 포로로
연행한다.

!!

이런!!
콜로니 붕괴가
벌써
여기까지….

재미있군… 그렇다면 네 마음대로 해봐라.
날 포로로 연행 하겠다고…
네놈도 많이 컸구나.
하지만 콜로니는 이제 몇 분이면 지상에 떨어진다.
어떻게 연행하겠다는 거냐 우라키?
큭…
지직
코우, 들려?
대답해…
지지지
니나?

잠깐,
말도 안 돼.
그건 불가능
하다고!!
그건 알지만
부탁
드릴게요.

가토도 같이
있다고요.

크윽
…

니나?
어디야?
너도 아직
콜로니
안이야?
!!

이리 와,
코우!!

니나!!

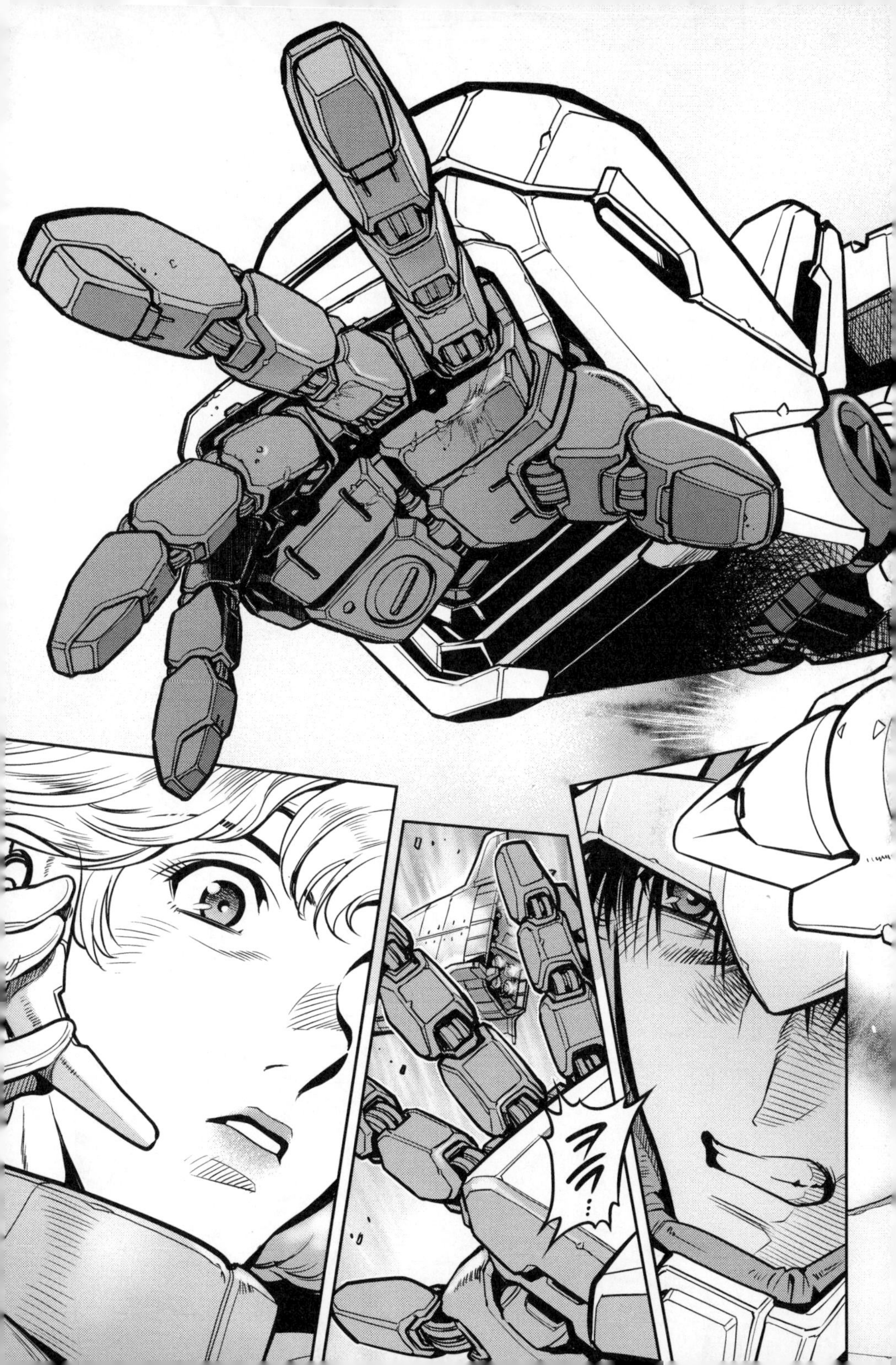
ァァ…

콜로니가…
떨어진다.

흥
대단한 일도 아니다.

이 일격이 역사를 바꾼다….

지온 잔당과
연방군의
항쟁이라는
정보가
있습니다만
군의
정식 입장은
발표되지
않았습니다.
낙착 예상
지역 주민은
정부가 발표한
지시에 따라
피난해
주십시오.
다시 말씀
드립니다…
NEWS
피…
피난
해야지.
잠깐!!
그 전에
짐부터
챙겨야…
여기는 당장
피해가 없어요,
사장님.
그보다
주문한 술은
아직
입니까?
가게에
있는 것
전부
마음대로
마셔!!
난
도망칠
테니까!!
헛
그거 참
고맙네….